Beste knaagdiervrienden,
welkom in de wereld van

Geronimo Stilton

De Wakkere Muis
Redactie

DE GLIMLACH VAN LISA

GERONIMO STILTON

WIJSMUIS, DIRECTEUR
VAN 'DE WAKKERE MUIS'

THEA STILTON

SPORTIEF EN DAADKRACHTIG, SPECIAAL
VERSLAGGEEFSTER VAN 'DE WAKKERE MUIS'

KLEM STILTON

ONUITSTAANBARE GRAPJAS,
NEEF VAN GERONIMO

BENJAMIN STILTON

LIEF EN ZACHTAARDIG,
NEEFJE VAN GERONIMO

Tekst: Geronimo Stilton
Oorspronkelijke titel: Il sorriso di Monna Topisa
Illustraties: idee: Matt Wolf, uitvoering: Larry Keys en White M. Ouse
Zetwerk: Merenguita Gingermouse
Vertaling: Loes Randazzo
Redactie: Vio Letter

www.geronimostilton.com
Druk: Drukkerij Giethoorn Ten Brink, Meppel (NL)

IK BEKEN, IK BEN GEEN MUIZENHELD

Die avond, toen ik thuiskwam, had ik direct het gevoel dat er iets **NIET IN DE HAAK** was. Waarom stond mijn deur op een kier?

Ik had het licht op de bovenverdieping toch uitgedaan?

Rattenrap **trippelde** ik op mijn tenen door de donkere gang. Voorzichtig stak ik mijn snuit om de hoek van de keukendeur. De koelkast stond open…

Als er nu eens inbrekers in mijn huis rondliepen?

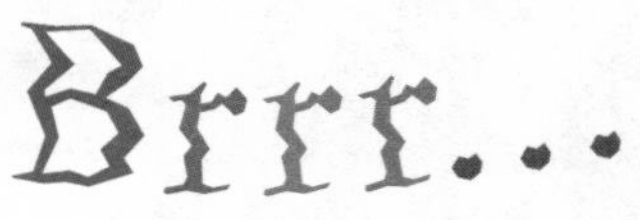

De koude rillingen liepen over mijn rug…

Na het zien van een griezelfilm kan ik niet meer slapen!

Toegegeven: ik ben geen man, *eh muis*, die graag de held uithangt.

Na het zien van een GRIEZELFILM kan ik niet meer slapen!

Net als in een film verscheen er plotseling een bewegende **schaduw** op de muur.

Iemand knaagde en smakte onsmakelijk, alsof hij met open mond at.

Wat nu?

Muisstil

sloop ik richting de voordeur om hulp te gaan halen.

Op dat moment kwam het muizengebroed mijn kant uit.

Ik verstopte me snel achter het gordijn…

MIJN ANTIEKE KAASKORSTEN!

Een vettige poot graaide naar het gordijn...
En daar stond ik snuit aan snuit met mijn neef Klem.
'Boe!' brulde hij in mijn oor. 'Blij me te zien, neefje?'
'Jij... jij... jij... Hoe durf je zomaar mijn huis binnen te komen?'
'Joh, doe niet zo geratst. Ik kwam hier langs, zag dat er een raam openstond en dacht: laat ik die goede ouwe Geronimo eens verrassen!'
'Verrassen? Je bezorgde me bijna een hartinfarct!'
'Olala, wat ben je toch een bange schijtmuis...

maar je hebt een zeer goede kaassmaak. Gaat er in als koek, eh kaas, kan ik je verzekeren!' zei hij terwijl hij zijn snuit aan mijn kostbare brokaten gordijn afveegde.

'**STOP!**' brulde ik. 'Dat is antieke stof!'

'Maak je geen zorgen, ik krijg mijn snuit er wel mee schoon, al is het oude stof, ik ben snel tevreden,' grinnikte Klem.

Toen, voor ik hem kon tegenhouden, plofte hij neer op mijn geliefde antieke stoeltje. Het had me een fortuin gekost.

'**NEEEE!**' gilde ik. Te laat! Klem lag al op de grond te spartelen. In zijn val had hij het vitrinekastje, waarin

ik mijn antieke kaaskorstenverzameling bewaar, meegetrokken. Het viel met een doffe klap op de grond.

'Mijn stoeltje! Mijn kaaskorstenverzameling!' krijste ik, terwijl ik wanhopig aan mijn snorharen rukte.

Hij knabbelde genoeglijk verder aan een blokje kaas: 'Weet je waarom ik hier ben?'

'Dat wil ik niet eens weten! **ERUIT!** En eet alsjeblieft met je mond dicht!'

Poeh Poeh Poeh

'***Poeh, poeh, poeh,*** weet je dat je soms echt irritant bent? Altijd op alle slakken zout leggen. Nou ja, ik vertel het lekker toch!' ging hij verder. Hij gaf me een knipoog en fluisterde geheimzinnig: 'Ik heb een fantastisch verhaal voor jouw, eh, geval, ja, jouw drukkerij.'

'Je bedoelt mijn uitgeverij!'

Hij fluisterde zachtjes: 'Precies, dat bedoel ik: wil je een sensationeel verhaal, echt iets voor jouw krant, *De Wakkere Muis?* Een primeur; je snorharen gaan er recht overeind van staan, zo goed is die PRIMEUR.

Ik zeg maar zo: kijk nog eens goed naar het beroemdste schilderij van Rokford, *Muis Lisa.'*

Muis Lisa...

MIJN NAAM IS STILTON, GERONIMO STILTON!

Ik voelde aan mijn muizenwater dat dit 'iets' met *Muis Lisa* een *fenomenaal verhaal* kon opleveren. En in goede verhalen ben ik muizenissig geïnteresseerd, als uitgever van de meest gelezen krant van wakker Muizeneiland, *De Wakkere Muis!*
O, jee, ik heb me nog helemaal niet voorgesteld: mijn naam is *Stilton, Geronimo Stilton!*
Ik maakte met mijn neef een afspraak voor de volgende ochtend, om acht uur, op kantoor.
Zoals gewoonlijk kwam Klem binnen zonder te kloppen. Hij legde zoals gewoonlijk zijn poten op mijn bureau. En piepte zoals gewoonlijk met volle mond: 'Ik heb een voorstel!'

Hij zat weer eens op iets te **knabbelen.** Dit keer was het een broodje met zes lagen beleg: *jonge kaas/brandnetelkaas/oude kaas/schimmelkaas/peperkaas/zalmkaas.* Hij mompelde: 'We onderzoeken wat er onder *Muis Lisa* verstopt zit, en delen de buit eerlijk: 70 procent voor mij, en 30 voor jou!'
'En dat noem jij eerlijk?' mopperde ik.
'Jakkes, wat ben jij een geldmuis! Goed dan,

omdat ik nou eenmaal een goedzak ben:
60 voor mij en 40 voor jou!'
We hoorden een motor. Even later zwaaide de deur open en kwam mijn zus Thea binnen lopen. Zij is speciaal verslaggeefster van *De Wakkere Muis.*
Thea piepte, met pientere blik: 'Ik heb jullie wel horen praten. Ik zal jullie vertellen hoe je het eerlijk verdeelt: 33,3 procent de muis! Ik weet iets van de *Muis Lisa* dat jullie niet weten!'

Klem wilde verder onderhandelen: 'TJA, dat met die 33,3 procent is in orde, maar ik wil de filmrechten, en de…'
Mijn zus glimlachte eens liefjes, en schudde haar hoofd. Met een *hoog stemmetje* piepte zij: 'Dat gaat je niet lukken, neefje van me, met mij moet je geen spelletjes spelen.'
Klem verzuchtte: 'Nou vooruit dan maar, omdat ik een echte heer ben, een echte *gentlemuis!* Poot erop, akkoord!'
Op dat moment zei een zachte stem: 'IK WIL OOK MET JULLIE MEEDOEN!'
Benjamin, mijn neefje van negen, trok aan mijn jaspanden.
'Te laat vriend! Wij delen verder met niemand!' flapte Klem er spontaan uit.
Benjamin keek hem verontwaardigd aan.
'Het geld mogen jullie houden, dat interesseert

me niet! Maar alsjeblieft, oom Geronimo, ik wil met je mee, ik wil bij jullie zijn!'
Ik was ontroerd.
'Ja, kaasknabbeltje, je mag mee. Dat beloof ik je!' mompelde ik terwijl ik zachtjes aan zijn oortjes krabbelde.

Benjamin is mijn lievelingsneefje!

Benjamin is mijn lievelingsneefje!

DE VALSE KAT

Mijn neef fluisterde: 'Herinneren jullie je mijn vriend nog, die zo goed kan biljarten? Je weet wel, hij heeft een litteken op zijn staart, een zwarte ooglap, loopt mank en hij mist zijn linker kleine teen. Hij heet **Manke Ment**, maar wordt ook wel De Scharrelaar genoemd. Die ken je toch, Geronimo, herinner je je het nu?'
'Nee,' protesteerde ik, 'als je ons aan elkaar had voorgesteld, had ik dat nog geweten. Zo'n muis zeker!'
Klem ging verder: 'In ieder geval, afgelopen zondag was ik in de kroeg *De Valse Kat*.
Ben je er wel eens geweest, Geronimo?'

In de kroeg De Valse Kat is het erg gezellig...

'Hoe kun je dat nou vragen! Ik kom toch nooit in dat soort gelegenheden!'
'Je weet niet wat je mist. Het is er ontzettend gezellig, elke avond gebeurt er wel iets. Gisteren, bijvoorbeeld, hebben een karatekampioen en een biljartgrootmeester met elkaar gevochten! De karatekampioen was best **STERK**, maar ja, die ander had een biljartkeu en hij bleef net zo lang meppen tot...'
'Ja, het is goed!' Thea werd ongeduldig.
'Goed, daar in die kroeg ontmoette ik **Manke Ment**. Hij vertelde mij een geheim...' fluisterde hij. 'De zus van de nicht van de buurvrouw van de zwager van de portier hoorde van de loopjongen dat ze in het museum **RÖNTGENFOTO'S** hebben gemaakt van *Muis Lisa*. Waarom? Omdat ze denken dat er iets heel belangrijks onder verborgen zit...'

THEA'S VERLOOFDE

Nu was Thea aan de beurt!
'Herinneren jullie je mijn verloofde nog? Die muis met de **blauwe ogen** en een blonde vacht, die met een zachte *g* praat?'
'Wie? Die ene die in dat kasteel woont, die zegt dat hij...'
'Maar nee, nee, nee,' onderbrak Thea me. 'Die heb ik al lang geleden weggestuurd.'
'Dan moet het die andere zijn, die een fabriek heeft en voorverpakte kaas...'
'Nee, nee, nee, die is uit de prehistorie, een fossiel bijna! Met hem heb ik het al maanden geleden uitgemaakt!' Thea raakte geïrriteerd.

'Mijn verloofde heet Frits Vernis: hij is kunstdeskundige in het museum. Hij heeft mij een geheimpje verklapt. Tijdens een restauratie van het schilderij van *Muis Lisa,* zag Frits dat onder het schilderij nog een schilderij verborgen zat. Met **RÖNTGENSTRALEN** kunnen ze het verborgene zichtbaar maken.'

EEN ROOD STOPLICHT BETEKENT STOPPEN!

Thea ging snel naar huis om haar auto te halen. Even later stopte haar **gele** sportwagen voor de deur en stapten we allemaal in.
Precies negen minuten later stopten we voor de deur van het museum.
'Negen minuten van de redactie naar het museum,' krijste Thea tevreden. 'Een nieuw persoonlijk record!' piepte ze, en zette haar stopwatch stil.
'Ik kreeg bijna een hartstilstand! Nog één zo'n ritje en ik ben een dooie muis! En trouwens, een **ROOD** stoplicht betekent stoppen! Die vrachtwagen scheurde vlák langs ons, ik voelde hem

langs mijn staart schuren!' riep ik boos.
Klem complimenteerde haar met haar rijstijl.
'Helemaal niet slecht voor een muizinnetje! Ik wed dat ik het in acht en een halve minuut haal!' Thea wilde de auto al weer starten.
'Ik neem de uitdaging aan! We gaan terug!'
'LAAT ME ERUIT!' gilde ik.
Met trillende poten opende ik het portier.
'Eén ding is zeker, ik stap nooit meer bij jullie in de auto,' mopperde ik.
Een muis is geen kat, ik heb maar één leven!

ALS MUIS LISA ZOU KUNNEN PRATEN

Het museum was **ENORM.**

Op de begane grond zagen we sarcofagen, mummies en amfora's. Volgens de borden hingen op

de eerste verdieping antieke schilderijen uit de *elfde tot de achttiende eeuw.*

De tweede verdieping was ingericht met moderne kunst.

En op de derde verdieping bevonden zich de kantoren van de medewerkers van het museum.

We beklommen de marmeren treden van de trap

Het museum was enorm...

tot we aankwamen op de eerste verdieping.
Ondertussen vertelde ik Benjamin het verhaal van *Muis Lisa:* 'Het werd geschilderd in het jaar 1504 door een beroemde schilder en wetenschapper: **Leon V.** De glimlach van Lisa is lief maar ook geheimzinnig, alsof zij iets weet wat wij niet weten, iets wat wij nog moeten ontdekken!'
Benjamin zuchtte: 'Wie weet, als ze zou kunnen praten… Misschien lacht ze wel omdat ze weet dat er iets onder het schilderij verborgen zit…'
We klommen verder naar de volgende verdieping: de moderne kunst, met veel staal en glas.

'Dat is nog eens wat anders, die moderne kunst! Veel beter dan die oude rotzooi die jij zo mooi vindt,' mompelde mijn zus terwijl ze me een vette knipoog gaf. **Beledigd** deed ik alsof ik niets zag of hoorde.
Op dat moment kwam er een muis aanlopen in een **zwart** pak. Hij zag er intelligent uit met zo'n klein rond brilletje op het puntje van zijn snuit. Het was de beroemde kunstcriticus Nelis Nikkel. Ik had meteen een hekel aan hem.
'L-I-E-F-J-E!' piepte hij luidkeels en liep op Thea af.

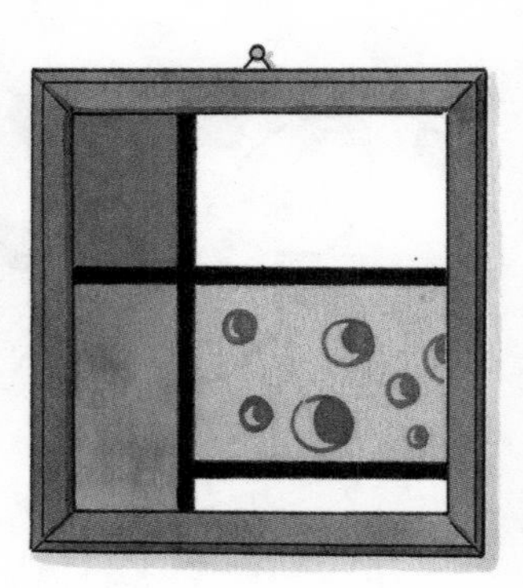

'L-I-E-V-E-R-D!' piepte zij al even hard terug.
'Wat een aanstelleritis!' bromde Klem. 'We zijn hier om te werken, niet om gezellig te babbelen!'
We liepen naar het onderzoekslaboratorium van het museum. Daar werden we begroet door een ietwat verlegen, maar erg aardige muis. Het was Frits Vernis, de verloofde van mijn zus.
'Thea,' brabbelde hij verliefd. 'Ik had je niet verwacht.'
Mijn zus kwam direct ter zake: 'Hoe gaat het met het onderzoek waar je het gisteravond over had?'
Hij werd helemaal BLEEK om zijn snuit.
'Dat is geheime informatie!'
'Maar je hebt voor mij toch geen geheimen, knabbeltje?' fluisterde zij op lieflijke toon, en trok hem plagerig aan zijn snor.

Zijn snuit kleurde bijna paars.
'Wat wil je weten?'
'Alles! **En wel nu!'** antwoordde mijn zus kordaat.
'Dus...' mompelde de verloofde van Thea. 'Maar wie zijn dat eigenlijk?' vroeg hij.
'Dat is mijn familie, ze zijn in orde, schattemuis,' stelde ze hem snel gerust.
'*Maar, eh...* moeten zij ook alles horen?' protesteerde hij zwakjes.
'Maar ik zei toch al dat ze familie van mij zijn.
Vertel, vertel!'
Hij begon nog zachter te praten. 'Welnu, vorige week begon ik met de restauratie van *Muis Lisa.* Ik moest voor onderzoek een verfschilfer afschrapen en toen zag ik dat er onder het schilderij nog een afbeelding verborgen zat! Ik heb toen **RÖNTGENFOTO'S** gemaakt en heb aan de hand daarvan op de computer elf aanwijzingen,

die de schilder **Leon V.** onder *Muis Lisa* verborgen had, in kaart gebracht.'

Frits begon te grinniken en toverde van onder zijn **trui** een cd-rom tevoorschijn.

'Alles staat hierop!'

Rattenrap graaide Thea de cd onder zijn snuit vandaan.

'Dank je wel kaashartje, die leen ik even van je. Ik geef hem je de volgende keer terug!'

'O, er is dus een volgende keer? Wanneer? Snel? Ik zou je natuurlijk voor een etentje kunnen uitnodigen, vanavond?'

Thea kneep Frits speels in zijn wang.

Toon ten Stelling

'Vanavond? Jammer, vanavond kan ik niet, maar wie weet, misschien volgende week?'

Op dat moment kwam de directeur van het museum langs, Toon ten Stelling, een magere en lange deftige muis, met een klein blauw vlinderdasje en een elegant rood giletje.

Ten Stelling kuste hoffelijk de poot van mijn zus.

'Goedendag, *juffrouw Stilton!* Ik ben zeer vereerd met uw bezoek!' sprak hij galant.

'Dag, dag, wat leuk u weer te ontmoeten, directeur, maar helaas heb ik ontzettende haast, tot ziens!'

Dit alles **piepte** mijn zus terwijl ze naar haar *SPORTAUTO* rende.

Ze startte de motor. 'Allemaal instappen.'

Benjamin en Klem stapten in de auto van Thea.

Ik niet, ik ging liever met een taxi.

Een muis is geen kat, ik heb maar één leven!

THEA'S POEDERDOOS

We sloten ons op in mijn kantoor.
'Dit wordt nachtwerk,' mopperde mijn neef met een blik die weinig goeds voorspelde. 'Ik bestel iets te knabbelen!'
Hij bestelde bij de pizzeria (op mijn rekening) een MEGA PIZZA (van ongeveer een meter doorsnede).
'Maak er maar anderhalve meter van…
IK HEB TREK!' hoorde ik hem gillen aan de telefoon.
We gingen aan het werk.
'Oom, laat mij maar!' zei Benjamin. Hij

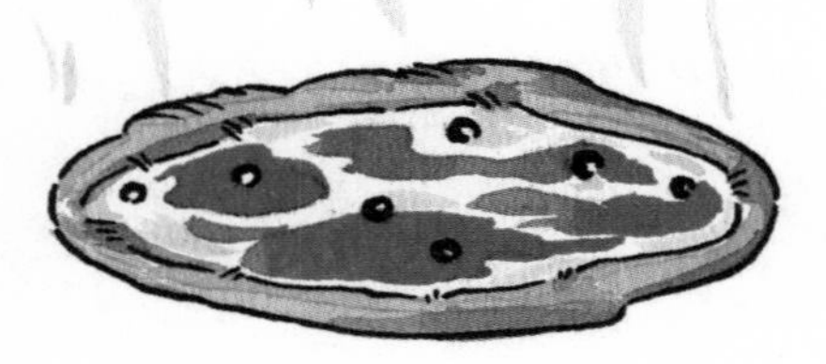

rende naar de computer, zette hem aan en stopte de cd-rom erin.
Op het scherm verscheen een RÖNTGENFOTO die Frits had ingekleurd op de computer.
'Ik zal hem vergroten,' zei Benjamin.
Er kwamen elf mysterieuze aanwijzingen in beeld: een standbeeld, een fontein, een kroon en andere zaken die we niet direct herkenden.
Rechtsonder, daar waar de handtekening altijd staat, stond een met het blote oog onleesbare tekst.

We vergrootten het:

ELF PLAATSEN TE VERKENNEN
ELF LETTERS TE VERGAREN
ÉÉN WOORD TE VORMEN
EN ZIE, HET MYSTERIE IS VINDBAAR

'Maar wat betekent dat?' vroeg ik stomverbaasd. De tekst was onleesbaar, het leek helemaal niet op een gewone taal. Thea had het als eerste door! Ze opende haar tasje en haalde haar poederdoos eruit en deed hem open. Ze hield het spiegeltje recht voor de tekst. En als bij toverslag verscheen een

leesbare tekst. Dit is wat wij lazen:

ELF PLAATSEN TE VERKENNEN
ELF LETTERS TE VERGAREN
ÉÉN WOORD TE VORMEN
EN ZIE, HET MYSTERIE IS VINDBAAR

Terwijl wij ons over de tekst bogen, knabbelde Klem verlekkerd aan de MEGA PIZZA en keek hij naar tekenfilms op de televisie.
Thea mopperde: 'Jij kunt ook wel eens iets uitvoeren! We waren toch partners in zaken?'
Klem giechelde: **'Werkze, werkze**, intellectuelen... morgen is het mijn beurt!'
We puzzelden uren en uren. We raadpleegden oude landkaarten, geschiedenisboeken over Rokford en museumcatalogi. Eindelijk konden we alle elf aanwijzingen plaatsen...

Het gedenkteken De Aalscholver
(Vismarkt)

De Lineaal
(rechtbank)

Lakzegelstempel
(De Kaaswaag)

Zilveren Rattencup
(museum)

De Kattenklip
(avonturenpark)

Kaasfontein
(De Kaaswaag)

Gewelfd plafond
(De Fophoek)

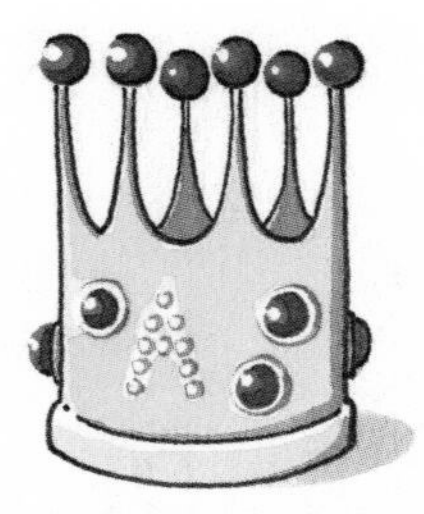

Kroon van Prinses Angora Krulkat VII
(ABM Bank)

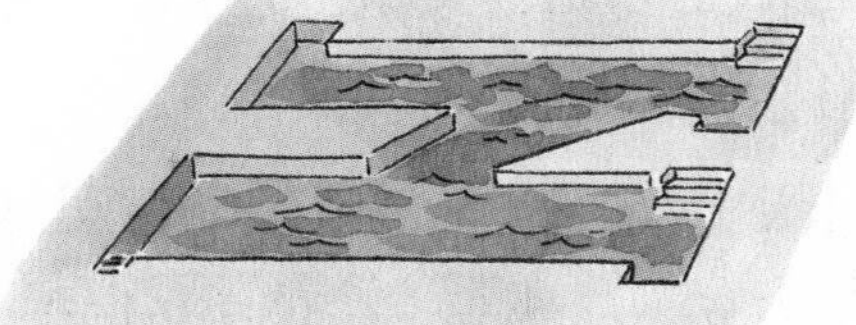

Zwembad
(sportschool *Rattenrap*)

Standbeeld van Willem de Knager
(basisschool)

Zonnewijzer
(kroeg *De Valse Kat*)

ELF PLAATSEN TE VERKENNEN
ELF LETTERS TE VERGAREN
ÉÉN WOORD TE VORMEN
EN ZIE, HET MYSTERIE IS VINDBAAR

DE AALSCHOLVER

De volgende ochtend kwamen we op de redactie bij elkaar.
'Hoe moeten we deze elf plaatsen verkennen? Ze liggen verspreidt door de hele stad!'
Klem grinnikte. 'Hi hi hi! Nu is het mijn beurt. Ik heb overal betrouwbare vrienden. *De Liniaal,* bij de rechtbank? Ga en noem **mijn** naam! *De Kaasfontein?* Vraag naar Tommie Brulee, een oude vriend van **mij!** De Vismarkt? Daar kennen ze **mij** allemaal, vanwege **mijn** haaienvangst! Ga op zoek naar Maria Mossel, bij de inktvissenkraam: zeg maar dat **ik** je gestuurd heb!'

Ik ging samen met Thea op weg door de **SMALLE** steegjes die ons naar de markt voerden.

De herrie, het lawaai en gekakel klonk steeds luider naarmate we dichter bij de markt kwamen. **Wat een schouwspel!**

Aan de linkerkant stonden tientallen kraampjes waarop tonijnen lagen uitgestald, enorme tonijnen die glansden in het zonlicht. In het midden van het plein verkochten ze inktvis, verder naar rechts kreeften en krabben. En op een bedje van **GESCHAAFD IJS** werden oesters aangeboden.

'Vis, verse vis, frisse verse vis, ze leven nog!'

Sommige visverkopers gooiden steeds emmers water over de vissen om ze vers te houden.

Opeens...– PLETS! – kwam er een emmer zeewater mijn kant op.
'Piep,' sputterde ik, terwijl ik een sprong naar achteren maakte. Te laat! Mijn pak was doorweekt en niet meer te redden.
'Kijk dan ook uit je doppen!' zei Thea kwaad.
Ik wilde net antwoorden, toen ik uitgleed over een kabeljauwmoot en **languit** op mijn snuit viel, een enorme tonijn omarmend.
'Die moet het worden? Zal ik hem voor u inpakken?' vroeg de visverkoper.
'NEE, U MAG HEM HOUDEN, UW TONIJN!' gilde ik terwijl ik overeind probeerde te komen.
Om mij heen werd gelachen. Thea fluisterde: 'Moet je zo nodig opvallen? Pas toch op!'
Ik wilde verder lopen, maar na twee stappen greep een glibberige tentakel mij bij de keel.
'BLUB... BLUB... BLUB...' gorgelde ik.

WAT EEN MAN, DIE MUIS!

‘Blijf er met je poten af! Waar dacht jij heen te gaan met mijn inktvis?’ gilde een visverkoopster op **strijdlustige** toon.
Thea *glimlachte* vriendelijk.
‘Aha, dus u bent Maria Mossel! Let maar niet op mijn broer. En jij Geronimo, moet beter uitkijken!’
Ik wilde net vertellen wat ik dacht van vis in het algemeen, en inktvis in het bijzonder, toen Thea haar elleboog hardhandig in mijn zij pootte.
Tegen Maria zei ze: ‘Klem stuurt ons!’
De houding van de visverkoopster veranderde als bij toverslag.

'Zeg dat dan meteen! Klem! Wat een man, die muis! Die weet van wanten!'
Mij schoten de verhalen van Klem weer te binnen, stoere verhalen over haaien, en ik mompelde: *'Ja, hij weet alles over haaien...'*
Maria keek mij wantrouwend aan: 'Haaien, hoezo haaien? Haringen zul je bedoelen!'
Ze giechelde: 'Je weet toch wel het verschil tussen een haring en een haai, hoop ik!'
Dromerig sprak de visverkoopster verder:
'Niemand kon zo snel haringen schoonmaken als hij! Hij heeft ooit het Vismarktrecord haringen schoonmaken gebroken!'

Haar ogen glansden bij de herinnering en ze grabbelde in de zak van haar schort en haalde een **plakkerig** geworden fotootje te voorschijn.

Op de foto stond mijn neef, bijna geheel verborgen achter een berg haringen, met een beker in zijn pootjes:

1e prijs Vismarktcup

Thea vroeg haar, quasi nonchalant: ‘Klem had het over het gedenkteken *De Aalscholver.* Mogen we dat eens zien?’

Maria gebaarde ons haar te volgen. Verderop stond een pilaar, met aan alle vier de zijden een reliëf van een aalscholver met een vis in zijn snavel. We zagen bijna onmiddellijk dat er in de staart van de vis een **Y** zichtbaar was!

'Vreemd, vanmorgen, zo tegen zes uur, kwam er een oud vrouwtje langs die, koste wat het kost, ook al dit standbeeld wilde zien!' mompelde Maria.

'Kun je haar beschrijven?' vroeg Thea en ze pakte haar notitieboekje.

Maria dacht na.

'Het was een oud vrouwtje, ze droeg een rood hoofddoekje met blauwe stippen en aan haar arm droeg ze een mandje

met appels. We hebben geruild, een inktvis voor een appel!' besloot ze haar beschrijving en haalde een glanzend rode appel uit haar zak.
Ze wapperde met de foto: 'Zeg tegen Klem dat ik op hem wacht, dat ik altijd aan hem denk!'
We gingen terug naar kantoor. Thea pakte snel potlood en papier en maakte daarmee rattenrap een schets van het oude vrouwtje.
'Een oud vrouwtje? Vreemd!'

DE LINIAAL

Tweede aanwijzing: DE LINIAAL.
'De Liniaal is te vinden in de rechtbank, toch?
Daar vragen jullie naar mijn goede vriend
Grif Fier. Zeg maar dat ik jullie heb gestuurd!'
commandeerde Klem. Thea ging erachteraan.
Hier is de fax die ze mij stuurde:

Spoed FAX Spoed
Aan: De Wakkere Muis
Ter attentie van: G. Stilton
Grif Fier is een gladjakker
die eerst een absurd hoog
bedrag vroeg in ruil voor de
informatie. Toen ik de naam
Klem liet vallen, wilde

hij me opeens gratis helpen…
Hij had één of ander verhaal
over Klem nog iets schuldig
zijn, nu staan ze quitte.
Hij bracht me naar het archief
van de rechtbank, waar 'De
Liniaal' wordt bewaard. Op
'De Liniaal' waren geen letters
gegraveerd, maar zodra ik hem
zag, realiseerde ik me dat het
voorwerp zelf de letter I
vormt!

Tot morgen,

Thea

P.S. Gisteren was hier een
weduwe, gehuld in sluiers.
Zij heeft foto's gemaakt van
'De Liniaal'!

DE ZILVEREN RATTENCUP

Derde aanwijzing: **De Zilveren Rattencup.**
Ik ging samen met Thea naar het museum om hem te zoeken. Helaas lag in de vitrine een briefje:

Verzilverde beker
Ongeveer duizend jaar oud
Uitgeleend aan regisseur Paul de Bont

We gingen terug naar kantoor.
Mijn neef lag onderuitgezakt in de stoel achter mijn bureau en begroette ons niet eens.
Hij was veel te druk met het eten van soep met **enorme** ballen er in.

'Wat doe je?' vroeg ik verbaasd.
'Eet je zo vroeg al soep?'

'Ik moet toch ontbijten?' antwoordde hij en knabbelde aan een soepstengel.

Op kille toon vroeg ik: 'Zou je misschien ergens anders willen gaan zitten? Zie je niet dat mijn hele bureau bezaaid is met kruimels?'

Hij zuchtte diep en stond op, maar bleef met zijn poot haken achter het tapijtje en zo kwam het dat de kop hete soep over mijn bureau **KLOTSTE.**

'MIJN PAPIEREN! MIJN AGENDA!' krijste ik. Van pure woede beet ik op mijn eigen staart. Mijn aandacht werd afgeleid door Thea die binnenkwam en aan Klem vroeg: 'Ken je toevallig

iemand die voor *De Bont* werkt?'
Klem grinnikte: 'Ik ken *De Bont* persoonlijk! Maar ik zou je niet aanraden daar mijn naam te noemen. Laat zelfs niet blijken dat we familie zijn, **ONTKENNEN, ALTIJD ONTKENNEN!**
We gingen naar de filmstudio's.
Op de set krioelde het van de acteurs en assistenten, terwijl regisseur *De Bont* bevelen piepte in een megafoon.
'Welke kaaskop heeft er met zijn vingers aan de **SNEEUWMACHINE** gezeten? Weten jullie niet dat deze scène in de woestijn speelt?
In de **woestijn,** ja! Hebben jullie het miauwen op band gezet? Wat? Dat is geen miauwen! Dat is een muis met buikpijn! Willen jullie mijn film verpesten?'
'Kijk! Daar is de beker!'
Het kantoor van *De Bont* had doorzichtige

glazen wanden. We zagen dat een muis, die was gekleed als een Romeinse gladiator, de beker nauwkeurig stond te bestuderen. Hij kwam naar buiten geslopen en met een waakzame blik verdween hij achter de schermen.

Rattenrap glipten wij het kantoor binnen. Net toen ik de beker wilde oppakken, kwam de regisseur binnen. 'Tengels af van mijn beker… Wie zijn jullie?' Argwanend onderwierp hij ons aan een soort verhoor.

Ik flapte eruit: 'Mijn naam is Stilton, Geronimo Stilton, en dit is mijn zus, Thea Stilton!'

Zij gaf me een elleboogstoot, maar het was al te laat, het kwaad was al geschied!
Hij leek even na te denken: *Stilton? Stilton?*
Toen veranderde zijn gezichtsuitdrukking.
'Hebben jullie iemand in de familie die Klem heet? Klein, gezet, met een notenbruine vacht?'
'Eh, een ver familielid, heel ver...'
Hij barstte uit: 'Ik zoek hem al twee jaar!
Hij heeft een wolkenkrabber van wel twintig verdiepingen opgeblazen, vijf minuten voordat de scène werd opgenomen! Weten jullie wat ik met hem doe als ik hem in mijn poten krijg?'
Mijn zus en ik **schuifelden** in de richting van de deur. We gingen snel naar buiten. Mijn zus gaf een rukje aan mijn staart, ze gniffelde.
'Gelukkig heb ik de letter kunnen zien, het was de **H**!'

HET LAKZEGEL EN DE FONTEIN

Klem zat onderuitgezakt, met zijn poten op **mijn** bureau, op ons te wachten.
Hij graaide in een zakje met kleverige kaasknabbeltjes.
'Verdorie, wat eet je nou weer?' vroeg ik.
'Je moest eens weten hoe lekker deze zijn! Proeven?'
'Nee dank je wel, voor geen blok kaas!' antwoordde ik en vertrok mijn snuit in een grimas.
'Trouwens, je bent een gewilde muis daar in de filmwereld, beter gezegd: een gezochte muis!'
'Ach ja, de ontploffing, de wolkenkrabber... wat een **KnaL** was dat! Je had trouwens

die snuit van de regisseur eens moeten zien!'
Hij grinnikte.
'De vierde en vijfde aanwijzing bevinden zich beide in *De Kaaswaag.* Ik zal Tommie Brulee voor jullie bellen!'
Thea en Benjamin gingen met de auto, ik nam liever de tram.

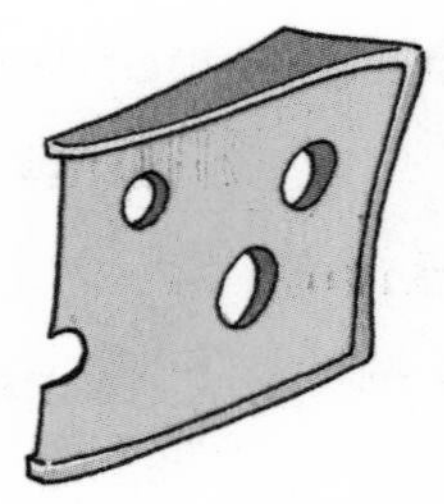

Een muis is geen kat, ik heb maar één leven!
Voor de ingang van *De Kaaswaag* wachtten we elkaar op. Hier werd elke kaas **GEKEURD,** GEWOGEN en GESTEMPELD voordat hij op de markt kwam.
Hierbinnen bevond zich het antieke zegel van Tinus Tosti (de uitvinder van de kaas) maar ook de beroemde *Kaasfontein.*
Een **gezette** muis in een witte jas, kwam ons tegemoet: Tommie Brulee.
'*Welkom!* Ik zal jullie rondleiden!'

Hij bracht ons naar een enorm pakhuis waar kazen van verschillende kwaliteit, vorm en formaat lagen opgestapeld. Overal waren muizen in witte jassen bezig kazen te **KEUREN**, te *WEGEN* en te STEMPELEN.

'Mijnheer Brulee, we willen deze gerookte kaas graag laten **KEUREN.**'

Ja, de maat is volgens de eis.

Plechtig sprak Tommie: 'Laat maar eens zien dan!' Hij bekeek nauwkeurig het kwaliteitscertificaat.

Vervolgens pakte hij een gouden kaasmaat.

'De maat klopt! Nu de rijpheid nog controleren!'

Hij pakte een lange houten pin en doorboorde daarmee de kaas, trok de pin terug en rook eraan. Aan alles kon je zien dat we hier te maken hadden met een muis met **verstand** van kaaszaken. 'Rijpheid precies juist!'

Hij pakte er een **kleurentabel** bij.
'Ook de kleur is goed: ambergeel.'
Professioneel ondertekende hij het certificaat en zette een **STEMPEL.**
'Wat een verantwoordelijkheid!' mompelde hij en streek zijn staart glad. 'Trouwens, hoe gaat het met Klem? Toen hij bij ons werkte als kaasproever was hij met een project bezig, herinner ik mij. Iets met **KUNSTMATIGE** kaas!'
Thea keek op haar horloge. 'Sorry dat ik u onderbreek, maar we hebben een beetje haast. We zouden graag het zegel

Tommie Brulee

van Tinus Tosti van dichtbij bekijken, kan dat?'

Tommie bracht ons naar het kaasmuseum en wees op een **glazen** vitrine waarin het lakzegel lag, op een fluwelen kussentje. Het was een zilveren zegel met in reliëf de letter **T**.

Vervolgens liep hij met ons naar de binnenplaats waar zich de *Kaasfontein* bevond. In het midden van de fontein stond Muis Fortuna, met in haar rechterhand 'De hoorn des overvloeds'

waaruit ononderbroken een heerlijk geurende KAASFONDUE stroomde.
Thea nam een paar foto's. Ik bekeek ondertussen de fontein van dichtbij. Maar ik zag nergens een letter. Tot mijn neefje Benjamin mij wees op het decoratierandje langs de fontein: 'Het lijken wel **B**'s, allemaal achter elkaar.'
Ik dook mijn notitieboekje op en noteerde:

Morgen gaan we naar het pretpark, op zoek naar de volgende letter.
P.S. Tommie vertelde ons iets eigenaardigs over twee vreemde bezoekers, gisteren. De eerste, 's ochtends, met een malle bloemetjesbroek en 's middags eentje met een raar rood-wit gestreept overhemd.
Ook zij waren op zoek naar de aanwijzingen...

DE KATTENKLIP

De zesde aanwijzing!
'In het PRETPARK kunnen jullie het beste vragen naar mijn vriend F. Teling, ook wel RAZENDSNEL genoemd. Hij is de eigenaar van de ACHTBAAN!' raadde Klem ons aan.
We kwamen om zes uur 's avonds in het pretpark aan.
Overal brandden lichtjes. Het reuzenrad, de botsautootjes en ook de achtbaan waren verlicht.
Benjamin raakte helemaal opgewonden.
'Even kijken, oom, eerst wil ik in de botsautootjes en gaan we daarna popcorn eten?

Ik wil ook ballen gooien, misschien win ik wel een goudvis!'

De vriend van Klem zat op een hoge harington en bouwde torentjes van de getelde munten.

Toen hij ons zag, mompelde hij: 'Een volwassen- en een kinderkaartje?'

'Bent u mijnheer **F.Teling?** Mijn neef Klem stuurt mij!'

Hij brulde, terwijl zijn snor trilde van opwinding: 'Die goeie ouwe Klem! Hoe gaat-ie,

F. Teling

hoe staat-ie?' en hij gaf mij een flinke mep op mijn schouder.
'Ben je echt zijn neef? Je lijkt voor geen meter op hem, je bent veel dunner!'
'Mijnheer F.Teling, eh, Klem had het over een klip in de vorm van een kat, die moet hier in het pretpark staan...'
'Tuurlijk! Maar eerst gaan jullie een fijn gratis ritje maken in mijn ACHTBAAN, ik betaal!'
Terwijl hij dat zei duwde hij ons al bijna in een rood wagentje. Ik bedankte.
'Dank u, erg vriendelijk, maar we hebben haast, een ander keertje!'

Benjamin begon aan mijn jasje te trekken.
'Oom, toe nou, gaan we?'
F.Teling drong aan: 'Hoor je dat? Je wilt die kleine toch niet teleurstellen?'
Ik was helemaal de KLUTS kwijt.
'Eh, ja, dank u, Benjamin ga jij maar als je wilt!'
F.Teling wond zich op: 'Dat meent u niet, wilt u zo'n piepklein muisje alleen laten gaan?'
Hij deed het deurtje open en
gaf me een flinke duw.
'Oepla! Ziet u, u zit al!
Zit u lekker?
Doe de veiligheidsgordel maar goed om, hi hi hi!'

Even later kroop het wagentje op de rails omhoog naar de top van de ACHTBAAN.
Ik kneep mijn ogen dicht en klemde, verstijfd van ANGST, mijn pootjes om de stang.
'Oom, kijk eens hoe HOOG we zijn!'
Ik dacht er niet aan mijn ogen open te doen, mooi niet! Een paar tellen later roetsjten we in vliegende vaart naar beneden, de diepte in.
Vanaf dat moment werd het alleen maar erger. Het was wat ze noemen een MOORDRIT: we werden van LINKS naar RECHTS geslingerd in allerlei bochten, soms hingen we zelfs op de kop. Het leek wel of we van baan naar baan vlogen! Ik had niet eens de moed om te gillen, zo bang was ik.
Terwijl ik versteend van ANGST in het karretje zat, brulde Benjamin het uit van plezier, elke keer dat we een looping maakten.

Na minuten, die uren leken te duren, kwam het wagentje tot stilstand aan het einde van de rails. **F.Teling** kwam naar ons toe.

‘En, leuk hè? Klem zei altijd dat er niets beters was voor de spijsvertering! Nog een ritje?’

Ik zwaaide wild met mijn poten: **NEE!**

Op de een of andere manier lukte het me uit het wagentje te komen. Ik ging languit liggen op een rots in de buurt van de botsautootjes.

Benjamin wapperde met een krant frisse lucht mijn kant op.

‘Oom, oom, waarom zie je zo groen?’

Angst doet beven!

F.Teling klopte op mijn snuit.
'Ja, ja, angst doet beven!'
Ik kwam weer enigszins bij. 'Waar is
De Kattenklip?' F.Teling lachte luid.
'DAAR ZIT JE BOVENOP, MAKKER!'
Toen ik om me heen keek, ontdekte ik
dat ik

moe, ik was duizelig, mijn hoofd t

languit op een rots in de vorm van een kat lag,
De Kattenklip. Er stond een grote **R** aan de
zijkant. Als in een droom hoorde ik F.Teling aan
Benjamin vertellen dat er de vorige dag ook al
een muis, in een geel clownspak, naar
De **KATTENKLIP** had gevraagd!

DE FOPHOEK

De volgende ochtend ging ik mijn kantoor binnen en vond Klem achterover geleund in *mijn* stoel met zijn poten op *mijn* bureau, lekker smullend van een bak kaaspopcorn.

'En, hoe is het in het PRETPARK gegaan?' vroeg hij. 'Ik hoorde dat je een zwakke maag hebt. Moet ik me voor je schamen?'

'HOU EROVER OP!' antwoordde ik. 'Waar moeten we nu heen?'

'Eh, voor de zevende aanwijzing moet je naar *De Fophoek*, een winkel in fopartikelen. Snuitstraat, nummer 11. De eigenaar is een vriend van me!'

Deze keer ging ik alleen.
Op het uithangbord stond *De Fophoek*. Ik duwde de glazen deur open en ging naar binnen…

Ik slaakte een kreet van angst: een knuffelkat aan een touwtje slingerde heen en weer boven mijn hoofd.

Achter de toonbank stond de eigenaar, **Philip Fopman,** een bolle muis met een blauw-rood gestreepte broek, die van zijn kruk rolde van het lachen.

'Leuk hè, dat grapje? Kom binnen, alstublieft.'

Hij wees op een krukje met een rood kussen. Ik ging zitten, maar zodra mijn billen het kussen raakten, gaf ik een gil: onder het kussen zat een muizenval verstopt, en daar zat mijn staart nu tussen!

'Ha ha ha!' lachte hij stiekem onder zijn snor. 'Gaat het? U ziet zo bleek... alstublieft, neem een lekker kaasbolletje!'
Het leek een lekker kaassnackje, maar het bleek van **rubber** te zijn!
'U bent precies het type klant waar ik zo gek op ben! U trapt overal in!' piepte **Fopman** tevreden. Hij veegde zijn lachtranen weg en vroeg: 'Waarmee kan ik u van dienst zijn? We

Philip Fopman

hebben van alles: plastic katten, scheetkussens, alle klassieke grappen, maar ook exclusieve NIEUWE grappen. Wat vindt u van die vork met ingebouwde voetzoeker; wat een KNAL! En van deze nepkaas? Lijkt toch net echt, of niet? Of deze suikerklontjes, als je die oplost in water komt er een rubberen worm tevoorschijn!' piepte hij enthousiast en wiebelde een worm onder mijn snuit heen en weer.
Opeens wees hij op mijn kraag en gilde:
'Pas op! Een giftige ratelslang!'
Ik sprong op en de rubberen slang viel ratelend op de grond.
'Hebt u dat gehoord? Nee? Luister!' piepte Fopman opgewonden. 'Hij maakt echt het geluid van een ratelslang, wat ik je ratel!'
Hij grinnikte. 'Ik wou dat er meer muizen zoals u waren. Of bent u soms een acteur en filmt u alles

met een verborgen camera en speelt u de
PERFECTE DOMKOP?!
De slang kronkelde op de vloer, ik wilde erheen lopen, maar na een paar passen rolde het tapijt zich op en ik zat gevangen als een muis in een soort muizenloempia.
'Genoeg!' gilde ik. 'Klem stuurt me, ik heb informatie nodig!'
'Dat had u wel eens eerder kunnen zeggen! Klem koopt hier altijd de allernieuwste grappen. Hij vertelt altijd vermakelijke verhalen over zijn neef, Geronimo Stilton…'
'Dat ben ik!' piepte ik benepen.
'Ik wil graag het plafond van uw kelder bekijken!'
De knager gniffelde.

'Wat een interesse voor mijn *plafond* opeens. Gisteren was hier ook al een muisje, verkleed als **Roodkapje,** dat ook mijn plafond wilde bekijken...'

Ik zuchtte diep. Ook hier was iemand mij voor geweest! **Fopman** opende een deur waarachter zich een nauwe, donkere wenteltrap bevond. Voorzichtig daalde ik de trap af, tree voor tree, pootje voor pootje. In het midden van het gewelfde plafond was een letter zichtbaar, de letter **L!**

DE EERSTE KLAS

Die avond gingen we met zijn allen naar het huis van Klem. Thea en Benjamin gingen met de auto, ik nam de bus.

Een muis is geen kat, ik heb maar één leven!

Het huis van mijn neef is heel speciaal, het bestaat uit een locomotief en een wagon van een trein, omgebouwd tot huis. Het is heel oud, van begin 1900. Alle wanden zijn met hout bekleed. De wagon heeft een enorm grote keuken, als je daar staat te koken kijk je zo de eersteklas coupé in, die nu de woonkamer is.

De stoelen zijn bekleed met rood fluweel. Als je daarin zit weggedoken, krijg je het gevoel dat de

trein elk moment kan vertrekken.

In de locomotief heeft Klem zijn slaapkamer gemaakt, met een grappig stapelbed, dat hij uitklapt door op een knop te drukken.

'Wie heeft er zin in een kopje koffie?' vroeg mijn neef, die trots was op zijn nieuwe koffiezetapparaat. Het apparaat deed PRUTTELEND zijn werk en verspreidde de heerlijke geur van versgezette koffie. Uit de koperen kraantjes vond de koffie zijn weg naar de kopjes met de initialen **N.S.** (Nederlandse Spoormuiswegen) erop.

Ik zat opgekruld in de leren stoel vlakbij de houtoven, waarvan het vuur ons aangenaam verwarmde.

Benjamin was in mijn armen in slaap gevallen…

Mijn neef woont in een huis gemaakt van een trein…

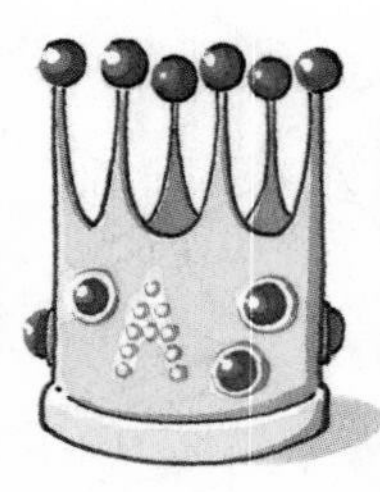

Hij zat knus weggedoken in de WARMTE van een deken, terwijl buiten de ijzige wind om de trein loeide.

Thea tikte met een lepeltje tegen haar kopje om onze aandacht te trekken.

'Vandaag was ik bij de *ABM Bank* om de kroon van Prinses Angora Krulkat VII te bekijken.

Midden op de kroon staat de letter **A**, gevormd door kleine diamantjes. Toen ik naar buiten ging merkte ik dat een man, *eh muis,* in een regenjas mij in de gaten hield van achter zijn krant. Dat kan geen toeval meer zijn: er moet een bende zijn die net als wij op zoek is naar Het Woord!'

WILLEM DE KNAGER

De negende aanwijzing was het standbeeld van Willem de Knager. Dat stond in de hal van de basisschool.
Klem speelde op zeker: 'Vraag naar mijn oude schoolmeester, Alfa Bet.'
Ik stond, samen met Benjamin, om acht uur al voor de deur van de school, nog voordat de lessen begonnen.
Alfa Bet, een oude muis met een **grijs** vel, stond achter zijn lessenaar en krabbelde met een van ouderdom bibberende poot in een schrift dat naar inkt rook.
'Wat wilt u?' vroeg hij argwanend.

Toen zag hij Benjamin: 'O, is dat uw zoon?'
'Eigenlijk...' begon ik mijn antwoord, maar hij onderbrak me.
'U wilt hem natuurlijk inschrijven...'
'Eigenlijk wil ik...'
'Nee, zeg maar niets. Het is te laat! De inschrijvingstermijn is al gesloten.'
'Luister, ik...'
'Wat? **Harder praten,'** gilde hij. 'Ik ben een beetje doof!'
'Klem stuurt me, een oud-student van u!'
'Een *oude prent?* Wat voor *oude prent?*'

Alfa Bet

'Klem heeft mij verteld over het standbeeld,
het standbeeld van Willem de Knager.'
'Wat? Slager? Wil hij slager worden?'
'Het standbeeld! Dat **daar!'** krijste ik, en
wees op het **marmeren standbeeld** dat
door het raam te zien was.
'O, dat... ja. Gisteren was hier ook al iemand,
een wel erg uit de **KLUITEN** gewassen school-
muis, die hem van dichtbij wilde bekijken.
Maar wie heeft u gestuurd?'
'KLEM!' gilde ik zo hard als ik kon.
Eindelijk verstond hij me.
'Wie? *Klem?* Zeg dat dan meteen! Onvergetelijk.
De meest ondeugende muis die ik ooit als
leerling had. Ik weet nog dat hij op het beeld
van Willem de Knager geklommen was en
op het puntje van zijn snuit een bananenschil
legde... en de laatjes van mijn lessenaar

DICHTSPIJKERDE... en de bladzijden van mijn schrift met kauwgom dichtplakte... en dat hij **lijm** smeerde op de deurklink! Wat een deugniet! Maar (hier raakte hij tot tranen toe geroerd) Klem is ook de enige die mij elk jaar een, *snif,* kerstkaart stuurt! Kijk maar.'

Hij opende een van de laatjes en pakte een bundeltje kerstkaarten, samengebonden met een rood lint.

Ik herkende direct het handschrift van mijn neef Klem.

Alfa kwam achter zijn lessenaar vandaan en zei: 'Kom maar mee!'

We stonden voor het standbeeld.

Ik bekeek Willem de Knager: hij stond op een schoolbank en hield in zijn linkerpoot een inktpot met de letter **S**.
Ik draaide mij om naar *Alfa.*
'Bedankt voor uw tijd, ik hoop dat we u niet te lang opgehouden hebben.'
'Wat? *Verkouden?* Ach, arme Klem, *verkouden…'* mompelde hij aangedaan, en snoot **LUIDRUCHTIG** zijn neus in een enorm grote zakdoek.

HET ZWEMBAD

De sportschool *Rattenrap*
bevond zich aan het plein
De Spartaanse Muis.
Ik wist dat daar een
vriend van Klem werkte,
ene TON TORSO, een
masseur.
Ik was nog niet over
de drempel of een
boom van een man,
eh muis, met enorme
spierbundels,
kwam mij tegemoet.

Ton Torso

'Bent u mijnheer TORSO?' vroeg ik.
Ik wilde hem vragen of ik even door de sportschool mocht lopen om de tiende aanwijzing, het zwembad, te bekijken.
Hij was me voor: 'Wilt u de hele ronde?'
'Ja, dank u!' antwoordde ik, verbaasd dat hij blijkbaar al op de hoogte was.
Hij duwde me een kleedhokje in: 'Trek een badjas aan!' gilde hij door de deur.
Toen ik uit het kleedhokje kwam, werd ik in een houten kast geduwd. Het was er bloedheet. Het was een sauna! Ik keek op de thermostaat: **Wat?** ZESTIG GRADEN? Naar adem snakkend probeerde ik eruit te komen, maar toen ik de deur opendeed vroeg hij stomverbaasd: 'Kom je er nu al uit? Nou ja, de klant is koning… op naar de douche!'
Zonder enige waarschuwing vooraf opende hij

de koudwaterkraan. Rattenrap sprong ik eronder vandaan. Ik kleedde me aan maar van weggaan was geen sprake. Ik werd zonder pardon op een loopband gezet die op volle toeren draaide: 'Pieeep!'

Net voordat ik compleet instortte, greep hij me vast en vertelde dat ik nu toe was aan een ontspannende massage. Voordat ik kon protesteren begon hij mij te kneden met zijn machtige muizenpoten.

Ik sprong van de massagetafel.

'Genoeg!' gilde ik en RENDE naar de deur.

Hij trok me terug, terwijl hij gemeen in mijn staart kneep.

'We willen toch niet vertrekken zonder te betalen, hè?' Hij drukte een papiertje met daarop een astronomisch hoog bedrag in mijn poot.

'Waaaaat?! Dit betaal ik **nooit!**'

'Pieeep!' Ik rende of mijn muizenleven ervan afhing...

Opeens zag ik Thea, ze droeg een hypermodern gympakje.

'Hé, Geronimo, kom jij hier ook?'

De masseur ZWAAIDE boos met de rekening.

'Dus u kent dit type? Weet u dat hij wilde vertrekken zonder te betalen?'

Thea FLUISTERDE: 'Maak me niet ten schande, dit is de meest exclusieve fitnessclub van heel Rokford, ze kennen me hier! *Betalen!* En geef een vette fooi!'

Beledigd betaalde ik de rekening, terwijl ik scherp in de gaten werd gehouden door de masseur.

'Trouwens, wat doe je hier?' vroeg Thea.

'Ik was op zoek naar de voorlaatste letter!'

'Had dat dan gezegd. Het was helemaal niet nodig om daarvoor hierheen te komen; één blik op het ontwerp van het bad en ik zag direct dat het de vorm van de letter **N** had...'

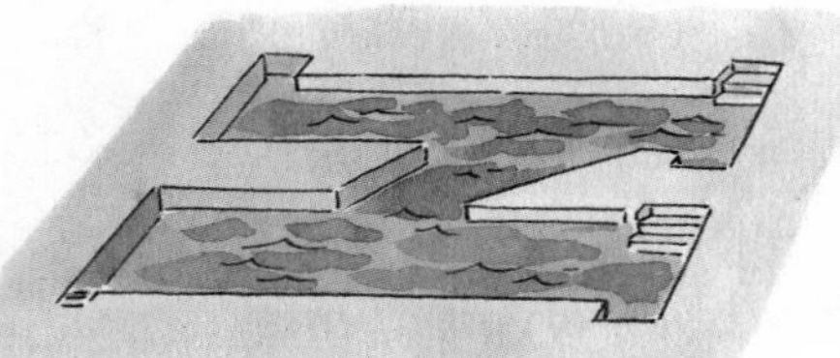

DE LAATSTE LETTER

We misten alleen nog de laatste aanwijzing: de zonnewijzer, die op de binnenplaats van de kroeg *De Valse Kat* stond.

De tijd begon te dringen. In de sportschool was een man, *eh muis,* gekleed als basketballer gezien, die verdacht rondsnuffelde.

'Misschien hebben ze het geheim al ontrafeld! We moeten ons haasten, op naar de kroeg voor de laatste aanwijzing. **WIE GAAT ER?**'

Klem grinnikte en zwaaide met een papiertje.

'De letter op de zonnewijzer is een **U**, muizenmakkers! Gisteren was ik in de kroeg, ik wilde een kijkje nemen bij het kampioenschap flipperen.

Eigenlijk ook om mijn vriend **Kwisien**, de kok, zijn recept voor **stroopwafeltjes** te ontfutselen!' zei hij terwijl hij zijn snor aflikte. 'Toen ik er was heb ik ook meteen even gekeken naar de zonnewijzer. Trouwens, in de kroeg was een motormuis langs geweest die ook naar de zonnewijzer zocht!'
Hij leunde met zijn poten op mijn bureau en piepte grootmoedig op vier glazen wijzend: 'Om het te **vieren**, een aperitief! Er zijn ook een paar knabbeltjes!'
Hij hield ons een schaaltje zilveruitjes gedompeld in **BOSVRUCHTENJAM** voor.
Zelf doopte hij een augurk in honing en at die op. 'Zoetzuur! Ah, wat lekker!'
Ik begon hardop te denken:

ELF PLAATSEN TE VERKENNEN
ELF LETTERS TE VERGAREN
ÉÉN WOORD TE VORMEN
EN ZIE, HET MYSTERIE IS VINDBAAR'

Mijn hoofd begon te draaien van al die letters, sneller en sneller.

Mijn hoofd begon te draaien van al die letters, sneller en sneller. **Y, I, H, T, B, R, L, A, S, N, U.** Diep in gedachten pakte ik een glas en dronk het in één teug leeg. Ik hoorde Klem roepen: 'Geronimo heeft mijn pikante PEPERSAUS opgedronken! Hij is ook zo verstrooid...' Even proefde ik helemaal niets, toen opeens sprongen mijn ogen wijdopen. Ik had het gevoel dat er rook uit mijn oren kwam.

Aaaaaaaaahh!

Misschien door het effect van de hete pepers, kwam er opeens een woord op in mijn hersenpan: 'Labyrinthus!'

Het gewelfde plafond
L
De kroon van prinses Angora Krulkat VII
A
De Kaasfontein
B
Het gedenkteken De Aalscholver
Y
De Kattenklip
R
LABYR

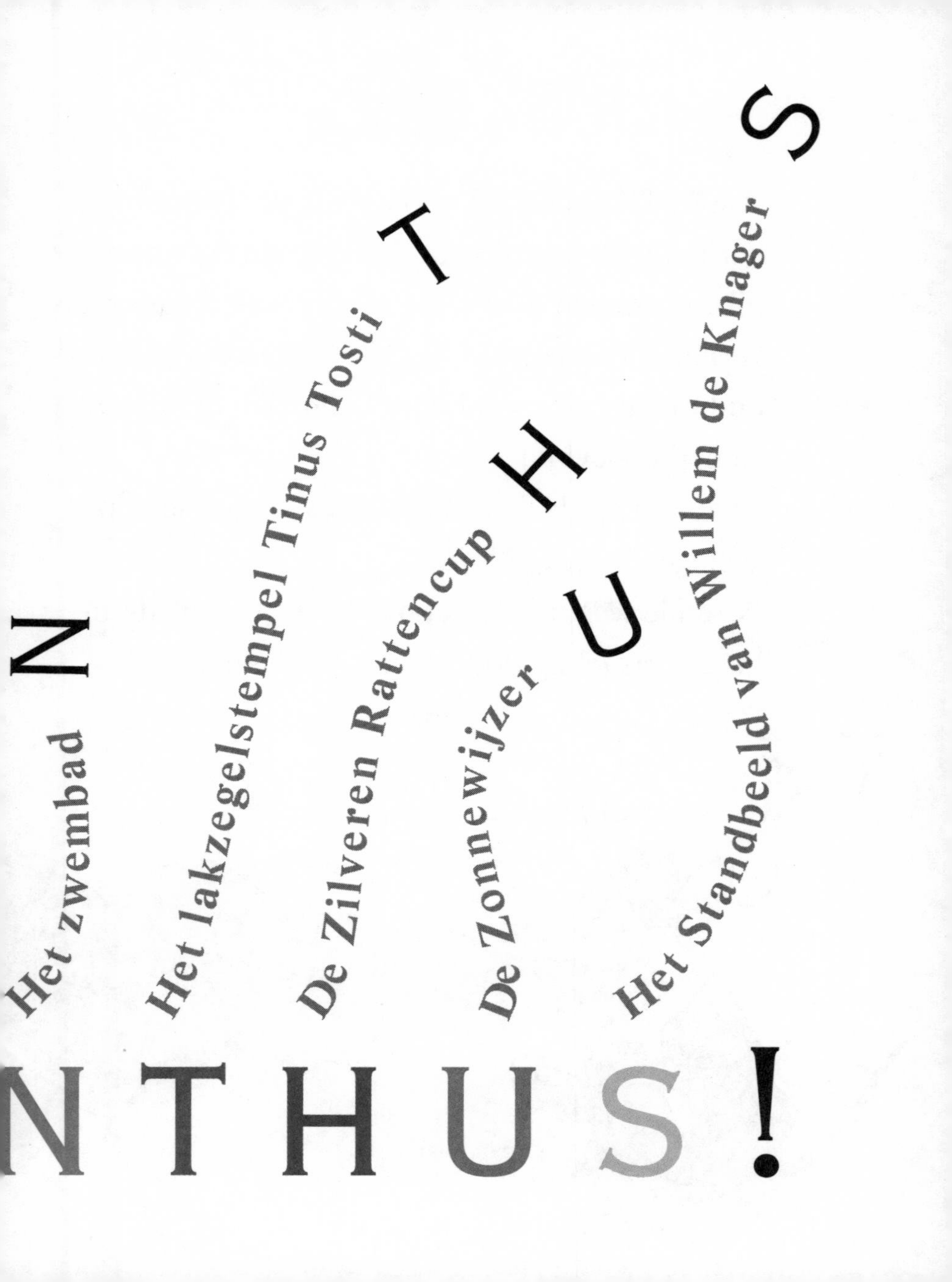
Het zwembad
Het lakzegelstempel Tinus Tosti
De Zilveren Rattencup
De Zonnewijzer
Het Standbeeld van Willem de Knager
N
T
H
U
S
NTHUS!

'LABYRINTHUS!' mompelde ik. 'Natuurlijk, het Latijnse woord voor doolhof, de oorspronkelijke naam van de doolhofbibliotheek die in oude verhalen voorkomt! Ooit las ik daarover in een oud manuscript van Leon V. dat zich in mijn verzameling bevindt.'

'Wat heb jij? Is de **PEPERSAUS** je naar je kop gestegen?' vroeg Klem.

Ik rende weg, pakte het manuscript en bladerde het koortsachtig door: 'Hier, ik wist het wel!'

Ik las voor: *'De bibliotheek Labyrint (oude naam: Labyrinthus) bevindt zich in het hart van de stad. Het heeft meer dan duizend gangen. Velen die naar binnen gingen, kwamen er nooit meer uit. Meer dan duizend gangen, met honderdduizenden boeken. Nu onze stad wordt bedreigd door De Grote Kattenoorlog verberg ik (Leon V.) het Labyrint, in afwachting van de terugkeer van de glimlach op de snuiten van het Muizenvolk!'*

'Het hart van de stad? Dat zou dus **Het Plein van de Zingende Steen** kunnen zijn!' stelde ik vast.

'Een labyrint, daar? Kom mee! **Volg me!'** riep Thea. Ze rende naar buiten en grabbelde in haar zak naar de sleutels van haar sportwagen. Zij gingen met de auto, ik pakte liever de fiets. *Een muis is geen kat, ik heb maar één leven!*

DE ZINGENDE STEEN

Het Plein van de Zingende Steen ligt in het oudste gedeelte van de stad. Niemand heeft ooit begrepen hoe het plein aan zijn naam is gekomen. In het midden van het ronde plein, dat is geplaveid met kinderkopjes (een steensoort), staat een enorme obelisk die naar de **hemel** wijst.
Toen we er aankwamen, lag het plein er verlaten bij. Ik was helemaal opgewonden en keek goed om me heen. Ik moest wel eerst mijn bril eens goed oppoetsen.
'Het moet hier zijn, ik voel het. We zitten goed!'
We kamden het hele plein uit op zoek naar een teken van het Labyrint.

Uur na uur ging voorbij, zonder dat we iets vonden. Zouden we ons vergist hebben? Mijn neef schudde zijn kop terwijl hij aan een kaaslolly likte.

'Hier is helemaal niets, nada, niente!' bromde hij boos en wees op het verlaten plein.

'Ik zei het toch, het was de pepersaus die naar je kop steeg!'

'En toch moet het hier zijn. **LABYRINTHUS... LABYRINTHUS... LABYRINTHUS...**' zei ik steeds weer, alsof het een toverspreuk was.

Wat was het geheim achter dit woord?

Klem ging op de stoeprand zitten, likte zijn plakkerig geworden vingers af en mompelde:

'Geef het op, Geronimo. Er is geen Labyrinthus. Snap dat dan!'

'Ik weet zeker dat we er vlakbij zijn!' mompelde ik trillend van opwinding.

In een oogwenk, al leek het voor ons uren te duren

Thea ging naast Klem zitten.
'Ger, kom we geven het op en gaan slapen!'
Heel even twijfelde ik. Met een diepe zucht ging ik naast mijn zus zitten, diep TELEURGESTELD.
De enige die nog niet aan opgeven dacht, was Benjamin.
'Als oom Geronimo denkt dat het Labyrinthus hier is, dan is het hier!' bleef hij koppig volhouden.
Klem grapte: 'Kijk om je heen neeflief. Zie jij een labyrint hier? Ik niet! Weet je wat, om je ervan te overtuigen zal ik een kijkje van bovenaf nemen!'
Hij begon langs de obelisk omhoog te klimmen.
'Hop, hop, hop...' piepte hij vrolijk. 'Jullie zouden het uitzicht eens moeten zien, van hierboven!'
'Klem, kom naar beneden! Dat is gevaarlijk!' gilden we. 'Kom naar beneden!'
Hij luisterde niet en klom verder omhoog. Steeds hoger. In een oogwenk, al leek het voor ons uren te duren, bereikte hij de top...

GEEN LABYRINTHUS TE ZIEN!

Vanaf de top van de obelisk brulde Klem: 'Geen **Labyrinthus** te zien! Geen **Labyrinthus!**
...inthus ...inthus ...inthus!' ...inthus
Verbaasd keken we elkaar aan. ...inthus
'Wat gebeurt er?' ...inthus
'Er is een echo... daarom heet het plein natuurlijk **Het Plein van de Zingende Steen!'**
'...inthus ...inthus ...inthus ...inthus!' herhaalde de echo, de woorden weerkaatsten op de keien.
'...inthus ...inthus ...inthus!'
De echo galmde door en werd steeds luider. Het leek nu alsof het hele plein zong!
'...inthus ...inthus ...inthus ...inthus!'

De echo werd luider en luider, alle keien leken te trillen onder onze pootjes.
'EEN AARDBEVING!' gilde Thea naar Klem die snel naar beneden kwam.
Het was geen aardbeving, het plein draaide om zijn eigen as!
'Wegwezen, snel!'
Ik pakte Benjamins pootje vast.
Zo snel als onze pootjes ons konden dragen maakten we dat we wegkwamen. Het hele plein begon te hellen. Thea en Klem kwamen ons rattenrap achterna gerend.
'Wat een belevenis!' gilde mijn zus, en maakte de ene na de andere foto.
'Het hele plein is omgedraaid!'
Ondanks de duisternis, begon zich af te tekenen wat het plein eeuwenlang verborgen had gehouden: een gebouw, lang en laag, van grijs steen.

LABYRINTHUS!
We wachtten tot het plein helemaal uitgedraaid was en liepen er weer naartoe. We duwden tegen de stenen deur. Deze ging geluidloos open.
Voor ons strekten zich oneindige gangen uit met langs de wanden boekenkasten die waren volgepakt met boeken. Donkere gangen waar eeuwenlang geen muis een poot had gezet, ik **RILDE!**
Benjamin hield mijn poot stevig vast. 'Hou me goed vast, oom! Ik wil niet verdwalen!'
Thea kon bijna niet wachten, ze wilde zo graag naar binnen: 'Laten we een draad aan de deur binden. Als we dan terug willen lopen, volgen we gewoon de draad naar de uitgang!'
'Dat is een goed idee!' zei Klem, en hij trok een draad uit mijn groene wollen sjaal. *'Huppekee!'*
Hij liep het labyrint in, de draad achter zich meetrekkend.

Het plein draaide om zijn eigen as...

'Wacht! Wacht!' riep ik. Te laat: mijn sjaal was al een lange, heel lange draad geworden die werd gespannen door de gangen van het labyrint. Ik ging verdrietig zitten: 'Ik was erg aan die sjaal gehecht!'

Benjamin gaf me een troostkusje. 'Niet huilen, oom! Je mag mijn sjaal wel hebben. Hij is niet *groen* maar wel van wol, net als die van jou!'

Ik pakte hem stevig vast. Benjamin is niet voor niets mijn lievelingsneefje...

We liepen het labyrint in. Voor de weg terug hoefden we alleen maar de draad te volgen.

Ik keek naar de boeken op de planken: het waren zeldzame boeken, unieke boeken! Ik pakte het ene na het andere boek in mijn poten, blies het stof van de omslagen en sloeg ze open.

Mijn sjaal was al een lang

Voorzichtig pakte ik perkamenten manuscripten, versierd met gekalligrafeerde letters, onderaan naast de handtekening vaak voorzien van een lakzegel.
Behoedzaam bladerde ik door een boek met door de tijd vergeelde pagina's, de titel in gouden letters op het kaft. Het ging over de geschiedenis van Muizeneiland.
En er stond een in RODE ZIJDE gebonden boekje met miniaturen.
MEMOIRES VAN VICTOR TRIOMF, ONTDEKKER VAN MUIZENEILAND.
Benjamin las tevreden met me mee.
We gingen steeds dieper het labyrint in. De gangen werden steeds smaller en donkerder. We hadden elk gevoel voor richting inmiddels verloren.
'Volgens mij moeten we nu naar rechts,' zei Thea en ze keek om zich heen.

heeeeeeeeeeeeeel lange draad geworden...

Alle gangen leken op elkaar...

Ik zou hebben gezworen dat we naar links moesten, maar toen ik terug wilde lopen kwam ik erachter dat ik de weg kwijt was. Alle gangen leken op elkaar!

'Gelukkig hebben we de draad!'

We rolden de draad weer op terwijl we terug liepen. Eindelijk zagen we de uitgang opdoemen. We slaakten een diepe zucht. **OPEENS...**

'Krak! Krak!'

Verschrikt sprong ik op. Kwam er iemand binnen? Ik haalde opgelucht adem: het was Klem die chips at. Even later hoorde ik weer een geluid.

'KRAK! KRAK! KRAK!'

Mijn neef zwaaide met het lege zakje onder mijn snuit. 'Ze zijn op,' fluisterde hij.

Er was dus wel iemand die probeerde binnen te komen!

VOOR DE DRAAD ERMEE, KAASKOP!

We verstopten ons achter een boekenkast.
Thea deed de zaklantaarn uit.
'SSST! STIL!'
De deur piepte.
In de totale duisternis hoorden we hoe iemand muisstil probeerde binnen te komen.
De onbekende trippelde op zijn muizenteentjes en deed een zaklantaarn aan om iets te kunnen zien.
We zagen een grote schaduw op de wand.
Klem fluisterde: 'IK NEEM HEM TE GRAZEN! IK PAK HEM!'
Mijn neef **sprong** te voorschijn en greep de onbekende bij zijn staart.

'Ik heb je te pakken, KAASKOP! Laat zien wie je bent!'
Thea deed haar zaklantaarn weer aan en tegelijk sprongen ook wij achter de kast vandaan.
'Ja, laat je zien, ik wil ook weten wie je bent, inferieur rattensoort, tweederangs muis, knullige kaasknager!' gilde mijn zus.
Ze richtte de zaklantaarn op hem. Het licht bescheen een lange scherpe snuit, een witte snor en een goudkleurige bril.
Ik stond perplex. 'De directeur? De museum-directeur?' Nee, dat kon niet waar zijn…
Toon ten Stelling werd stevig vastgehouden door Klem die een poot om zijn nek gedraaid hield.
Hij probeerde ons, wanhopig gebarend, iets te vertellen. Het leek alsof hij een kikker in zijn keel had, zo schor klonk het.

'Gggh... ggh... ghgghggghhh!'

'Voor de draad ermee, *kaaskop!* Wie zijn de andere bendeleden? Je was zeker al helemaal in de wolken toen je dacht dat het je ging lukken? *Nou, mooi niet...'* gilde Klem en hij trok hard aan Toons snorharen om hem aan het praten te krijgen.

'Loslaten, Klem! Ik geloof dat hij ons iets wil vertellen!'

Toon slikte en gorgelde:

'...schilderij... opdracht... toestemming...'
'Wie wat waar?' piepte Thea.
Hij graaide in zijn vestzakje en haalde een papier vol met officiële stempels te voorschijn, en gaf het aan Thea.
"Met dit document verstrekt de Machtige Muizenraad van Muizeneiland opdracht aan: **Toon ten Stelling,** directeur van het museum, alhier, tot het instellen van een geheim onderzoek naar het schilderij verborgen onder *Muis Lisa*, om zodoende het MYSTERIE op te lossen."
Ik keek **ongelovig** naar het document.
'Wat? ***De Machtige Muizenraad?'***
Toon ging het ons uitleggen.
Hij schraapte zijn keel en vertelde:
'Toen Frits Vernis een verborgen schilderij onder *Muis Lisa* blootlegde, begreep ik meteen

dat het wel eens een heel belangrijke ontdekking kon zijn die we voorlopig vooral geheim moesten houden. Dus ben ik in mijn eentje door heel Rokford gestruind om de elf aanwijzingen te zoeken; wat een klus! Vanavond begreep ik pas dat het sleutelwoord Labyrinthus was...'

Klem bromde: 'Kan ik hem nu loslaten?'

...het oude vrouwtje... *...de weduwe...* *...de gladiator...*

Toon klopte zijn kleren af en zette zijn bril weer recht op zijn snuit.
'U hebt een stevige houdgreep, jongeman!' zei Toon terwijl hij zijn hals masseerde.
Klem was nog steeds niet helemaal overtuigd.
'En wie waren *dit* dan?' vroeg hij en wapperde met de tekeningen van de elf 'verdachte muizen'.

Elf verdachte muizen...

...de nozem...

...de hippie...

Toon grijnsde. 'Er is niemand anders. Dat was ik, alleen ik en steeds weer ik!'
Hij pakte een koffertje en deed het open. 'Kijk hier heb je de valse snor, de clownpruik en de speurdersbril; ik heb dat allemaal in een winkel voor fopartikelen gekocht!'
Klem inspecteerde de inhoud van het koffertje.

...de clown... *...een muis verkleed als Roodkapje...* *...een muis in een regenjas...*

'Hmmm...' Hij klopte Toon goedkeurend op de schouder: 'Ja slimmerik, ik heb je door. Dit heb je allemaal bij *De Fophoek* gekocht, dat is ook mijn favoriete winkel! Geef me een poot, ik heet Klem! Volgende keer gaan we er samen heen, ik zal ervoor zorgen dat je korting krijgt!'

...een student... *...de basketballer...* *...de motorrijder...*

EEN VERHAAL MET EEN STAARTJE

De ontdekking van het Labyrinthus is alweer een maand geleden, maar het lijkt een eeuwigheid: er is zo veel gebeurd sindsdien!
De immense bibliotheek is een museum geworden. Elke dag komen er duizenden knagers.
Maar er is ook nieuws; groot nieuws!
Weten jullie waar ik op dit moment ben? Op de set van de film DE GLIMLACH VAN LISA, met regisseur Paul de Bont. Deze film wordt gemaakt naar aanleiding van een boek dat ik heb geschreven! Het stond binnen een week na verschijnen al in de Top Tien. Een bestseller! Wat zeg ik, een

TOPSELLER!

Op de set van de film 'De glimlach van Lisa'

EEN MUIS IS GEEN KAT, IK HEB MAAR ÉÉN LEVEN!

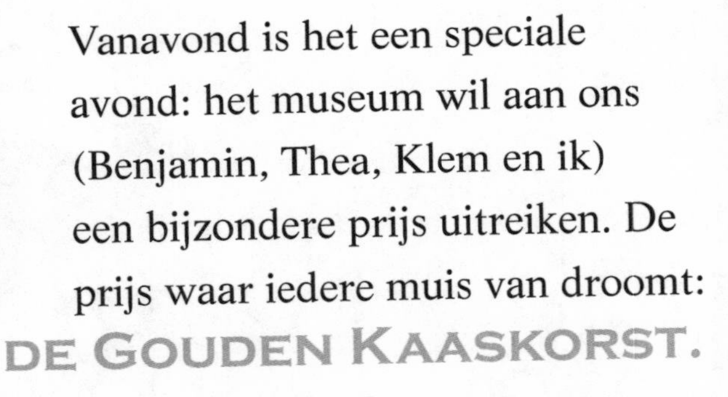

Vanavond is het een speciale avond: het museum wil aan ons (Benjamin, Thea, Klem en ik) een bijzondere prijs uitreiken. De prijs waar iedere muis van droomt: **DE GOUDEN KAASKORST.**

Wat kun je nog meer wensen?

Piep, ik ben gelukkig, dolgelukkig.

Vannacht heb ik geen oog dichtgedaan van de ***zenuwen!*** Ik ben er klaar voor: ik loop al twee lange uren te ijsberen in mijn kamer. Ik heb mijn smoking aangetrokken omdat het een plechtige uitreiking zal zijn.

Ik hoor Thea vanuit de andere kamer roepen.
'Geronimo, Geronimo! Ben je klaar?'
Ik haal diep adem. Natuurlijk ben ik klaar, ik ben al uren klaar!
Mijn zus pakt de sleutel en loopt naar buiten, opent de deur van haar auto, steekt de sleutel in het contact... **en vertrekt.** Alleen!
Ik loop naar het metrostation. Het is rond deze tijd altijd druk in de metro, maar dat vind ik niet erg.

Een muis is geen kat, ik heb maar één leven!

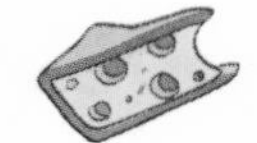
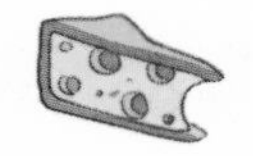
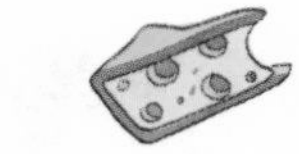

INHOUD

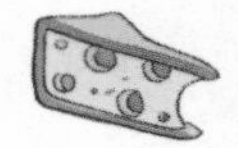

Een boek waar een luchtje aan zit...

FANTASIA

tekst: Geronimo Stilton
illustraties: Larry Keys
formaat: 14,5 x 18,5 cm
omvang: 392 pagina's
druk: volledig in kleur
met 8 'kras- en ruik'-pagina's
bindwijze: gebonden
prijs: € 19,95
ISBN 90 5893 008 4
voor 8 jaar en ouder

Reizen jullie mee naar het fantastische Fantasia?
Ontmoet heksen, zeemeerminnen, aardmannetjes, feeën, eenhoorns, trollen en weerwolven... Of maak een ritje op de rug van een regenboogdraak!
Zullen we samen naar Fantasia gaan?
Ga maar zitten en hou je goed vast! We vertrekken!

Een spectaculair, megadik deel in de Geronimo Stilton-reeks. Volledig in kleur en met acht 'kras en ruik' verrassingen, variërend van rozengeur tot zweetvoeten. Elke Geronimo liefhebber *moet* dit boek in huis hebben.

De Wakkere Muis

1. Ingang
2. Drukkerij (daar worden de boeken en de kranten gedrukt)
3. Administratie
4. Redactie (hier werken de redacteuren, de grafici en de illustratoren)
5. Kantoor van Geronimo Stilton
6. Landingsplaats voor de helikopter

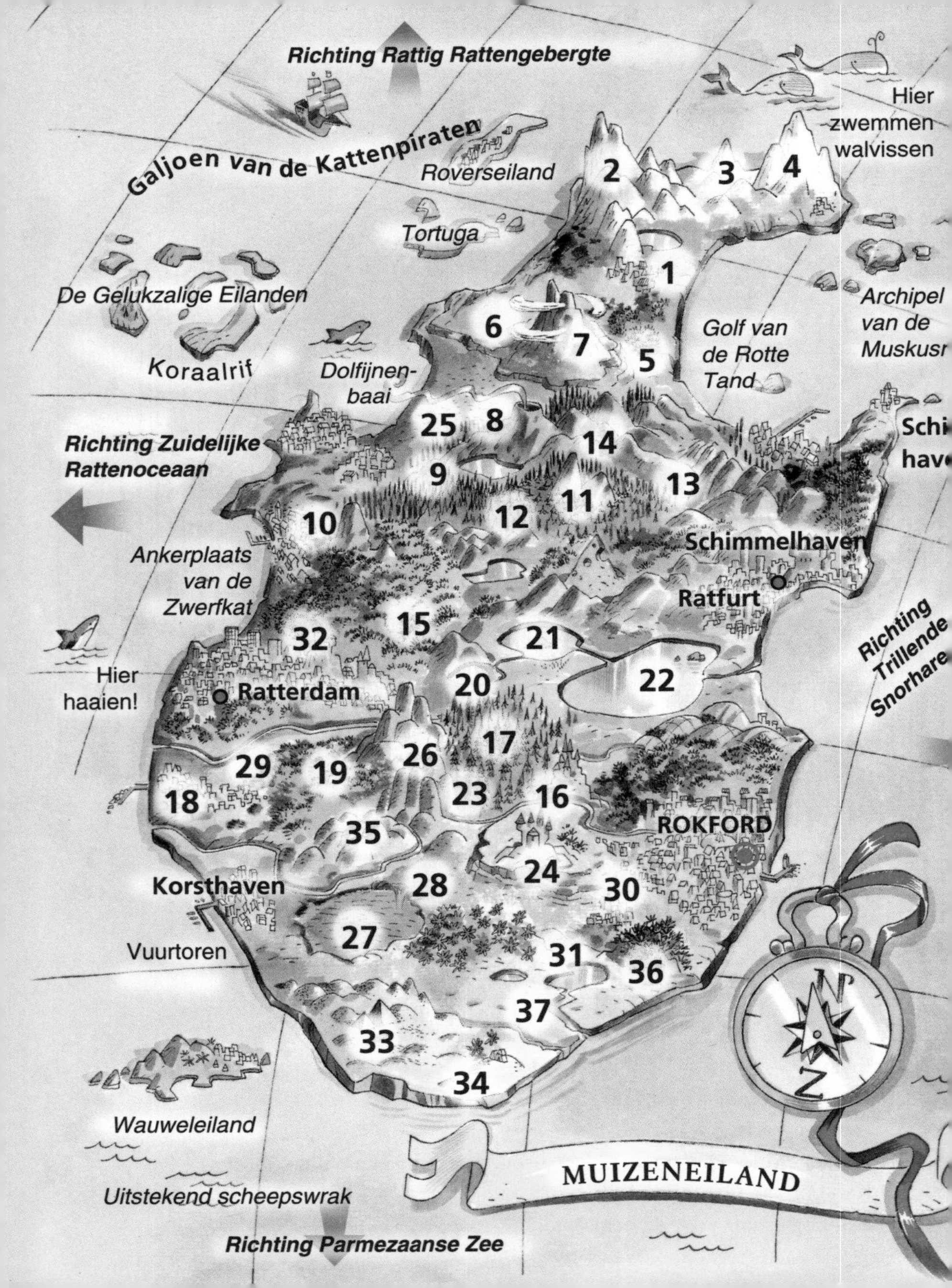
Richting Rattig Rattengebergte
Galjoen van de Kattenpiraten
Roverseiland
Hier zwemmen walvissen
Tortuga
De Gelukzalige Eilanden
Archipel van de Muskusr
Golf van de Rotte Tand
Koraalrif
Dolfijnenbaai
Richting Zuidelijke Rattenoceaan
Schi hav
Schimmelhaven
Ankerplaats van de Zwerfkat
Ratfurt
Richting Trillende Snorhare
Hier haaien!
Ratterdam
ROKFORD
Korsthaven
Vuurtoren
Wauweleiland
Uitstekend scheepswrak
MUIZENEILAND
Richting Parmezaanse Zee
N
Z
1
2
3
4
5
6
7
8
9
10
11
12
13
14
15
16
17
18
19
20
21
22
23
24
25
26
27
28
29
30
31
32
33
34
35
36
37

Muizeneiland

1. Groot IJsmeer
2. Spits van de Bevroren Pels
3. Ikgeefjedegletsjerberg
4. Kouderkannietberg
5. Ratzikistan
6. Transmuizanië
7. Vampierberg
8. Muizifersvulkaan
9. Zwavelmeer
10. De Slome Katerpas
11. Stinkende Berg
12. Duisterwoud
13. Vallei der IJdele Vampiers
14. Bibberberg
15. De Schaduwpas
16. Vrekkenrots
17. Nationaal Park ter Bescherming der Natuur
18. Palma di Muisorca
19. Fossielenwoud
20. Meerdermeer
21. Mindermeer
22. Meerdermindermeer
23. Boterberg
24. Muisterslot
25. Vallei der Reuzensequoia's
26. Woelwatertje
27. Zwavelmoeras
28. Geiser
29. Rattenvallei
30. Rodentenvallei
31. Wespenpoel
32. Piepende Rots
33. Muisahara
34. Oase van de Spuwende Kameel
35. Hoogste punt
36. Donkere Woud
37. Muggenrivier

1
2
3
4
5
6
7
8
9
10
11
12
13
14
15
16
17
18
19
20
21
22
23
24
25
26
27
28
29
30
31
32
33
34
35
36
37
38
39
40
41
42
43
De Mu
Str

Rokford, de hoofdstad van Muizeneiland

1. Industriegebied
2. Kaasfabriek
3. Vliegveld
4. Mediapark
5. Kaasmarkt
6. Vismarkt
7. Stadhuis
8. Kasteel van de Snobbertjes
9. De zeven heuvels
10. Station
11. Winkelcentrum
12. Bioscoop
13. Sportzaal
14. Concertgebouw
15. Plein van de Zingende Steen
16. Theater
17. Grand Hotel
18. Ziekenhuis
19. Botanische tuin
20. Bazar van de Manke Vlo
21. Parkeerterrein
22. Museum Moderne Kunst
23. Universiteitsbibiotheek
24. De Rioolrat
25. De Wakkere Muis
26. Woning van Klem
27. Modecentrum
28. Restaurant De Gouden Kaas
29. Centrum voor zee- en milieubescherming
30. Havenmeester
31. Stadion
32. Golfbaan
33. Zwembad
34. Tennisbaan
35. Pretpark
36. Woning van Geronimo
37. Antiquairswijk
38. Boekhandel
39. Havenloods
40. Woning van Thea
41. Haven
42. Vuurtoren
43. Vrijheidsmuis

Lieve knaagdiervrienden,
tot ziens, in een volgend avontuur.
Een nieuw avontuur met snorharen,
erewoord van Stilton.

Geronimo Stilton